ONE-PUNCH MAN | 02

ŒUVRE ORIGINALE **ONE** MANGA YUSUKE MURATA

ONE

Je suis tout excité rien
que de penser à toute la
tripotée de monstres qui
vont faire leur apparition
dans ce manga.

★ CETTE ŒUVRE EST UNE FICTION.
ELLE N'A AUCUN RAPPORT AVEC DES
PERSONNES, DES GROUPES OU DES
ÉVÉNEMENTS RÉELS.

ONE-PUNCHMAN

02

【強さの秘訣】
LE SECRET DE LA PUISSANCE

ŒUVRE ORIGINALE
ONE

MANGA
YUSUKE MURATA

PERSONNAGES

▸▸▸ SAITAMA

LE ROI DES FAUVES ▸

▸▸▸ GENOS

LE PROFESSEUR DE LA MAISON DE L'ÉVOLUTION

CYBORGORILLA

Saitama est un jeune homme qui aime jouer au super-héros et qui a décidé de faire face au mal qui menace l'humanité. Après trois années d'un entraînement intensif qui lui a fait perdre tous ses cheveux, il parvient à obtenir une grande puissance. Seulement voilà, il est devenu tellement fort qu'il terrasse n'importe quel ennemi en un seul coup de poing. Impressionné par la puissance de ce super-héros hors du commun, le cyborg Genos souhaite devenir son élève ! Mais la Maison de l'évolution s'intéresse aussi à la force de Saitama et envoie des monstres afin de le capturer !!

RÉSUMÉ

S'IL VOUS PLAÎT, M'DAME, DIX BILLETS DE LOTERIE HÉROS

SOMMAIRE

CONTENTS

ONE-PUNCH MAN VOL. 2

ONE-PUNCH MAN

ŒUVRE ORIGINALE **ONE** MANGA **YŪSUKE MURATA**

My name is SAITAMA. I am a hero. Being a hero is my hobby. But I became too strong. Therefore, I am very sad. I kill any enemy with one blow. I lost my hair. I also lost my feelings. I want the upsurge of sentiment of a battle. I would like to meet the strongest enemy. I would like to meet a matchless enemy. And I would like to push down with one blow. Because I am a one-punch man.

02

(LE SECRET DE LA PUISSANCE)

IL Y AVAIT AUTREFOIS UN JEUNE SCIENTIFIQUE DE GÉNIE

T. Genus

IL UTILISAIT SES IMPRESSIONNANTES CAPACITÉS INTELLECTUELLES AFIN D'APPORTER SA CONTRIBUTION DANS DIVERS DOMAINES AUX QUATRE COINS DE LA PLANÈTE

MAIS IL FUT
GRANDEMENT
DEÇU

PERSONNE
N'APPROUVAIT
CES IDÉES QUI
CHAQUE JOUR
LUI VENAIENT
À L'ESPRIT

ALORS QUE
LES GENS
FAISAIENT
SANS ARRÊT
L'ÉLOGE DE
SON GÉNIE...

MAIS D'UNE
ÉVOLUTION
ARTIFICIELLE
DE L'ESPÈCE
HUMAINE, CE POUR
QUOI PERSONNE
NE CONSENTAIT
À L'AIDER

IL RÊVAIT
NON PAS DU
DÉVELOPPEMENT
DE LA
CIVILISATION DES
HOMMES...

CROIENT-ILS QUE JUSQU'À PRÉSENT L'HUMANITÉ A ACCOMPLI SON ÉVOLUTION EN ÉVITANT DE PRENDRE DES RISQUES ?

ILS DISENT QUE MES IDÉES SONT DANGEREUSES ! ILS ME PRENNENT TOUS POUR UN FOU !

RAAH ! MAUDITS PRIMATES !

DE TOUTE FAÇON, C'EST AVANT TOUT POUR MOI QUE J'AI MIS AU POINT CE PROJET...

ET MÊME SI JE DOIS ME DÉBROUILLER SEUL, JE LE RÉALISERAI !

CES IMBÉCILES QUI PENSENT QUE NOUS N'AVONS PLUS BESOIN D'ÉVOLUER...

SONT INDIGNES DE L'ESPÈCE HUMAINE !

DÈS SON PLUS JEUNE ÂGE, IL S'INTERROGEAIT DÉJÀ SUR LES FAIBLES CAPACITÉS DES ÊTRES HUMAINS

QUE DES ANIMAUX PRIMITIFS AUX CAPACITÉS COGNITIVES LIMITÉES

MIS À PART LUI, LES HOMMES N'ÉTAIENT À SES YEUX...

LUI VINT À L'ESPRIT À L'ÂGE DE QUINZE ANS

L'IDÉE D'UN PROJET POUR FAIRE ÉVOLUER L'HUMANITÉ ET CRÉER UN MONDE DANS LEQUEL IL SE SENTIRAIT À SA PLACE...

CE SIMPLE FAIT LUI ÉTAIT TRÈS DOULOUREUX

IL AVAIT PLUS DE SOIXANTE-DIX ANS LORSQUE SON PLAN COMMENÇA ENFIN À S'ACCÉLÉRER

POUR COMMENCER, IL RETROUVA SA JEUNESSE

IL CRÉA ENSUITE DES CLONES DE LUI-MÊME...

IL APPELA SON LABORATOIRE « LA MAISON DE L'ÉVOLUTION », ET SES EXPÉRIENCES DONNÈRENT NAISSANCE À DE NOMBREUSES NOUVELLES ESPÈCES VIVANTES

AVEC QUI IL MENA D'INNOMBRABLES EXPÉRIENCES SUR DES ANIMAUX, AVANT DE COMMENCER À UTILISER DES COBAYES HUMAINS

EUH... AUTREMENT DIT...

PAR... PARDON...

DÉSOLÉ, JE NE SUIS PAS ATTIRÉ PAR LES HOMMES

NON, MAÎTRE, VOUS N'Y ÊTES PAS

NOTRE CHEF S'INTÉRESSE À TON CORPS

IL VA PROBABLEMENT ENCORE ENVOYER DES SUBORDONNÉS POUR VOUS CAPTURER

SON CHEF COMPTE FAIRE DES RECHERCHES SUR VOTRE CORPS DONT LES CAPACITÉS SURPASSENT CELLES DU GENRE HUMAIN

OUI...

HEIN ? QUOI ?

MAINTENANT, LÀ ? TOUT DE SUITE ?

OUI. DEMAIN, JE NE POURRAI PAS. C'EST LE JOUR DES PROMOTIONS

HÉ ! TOI !

HEIN ?! OUI ?

C'EST PAS BON

JE DOIS PRÉVENIR LE PROFESSEUR

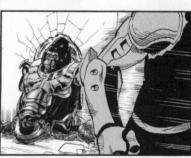

COMBIEN Y EN A-T-IL EN PLUS DE VOUS ?

Y EN A-T-IL UN QUI A DÉTRUIT PLUSIEURS VILLES ?

LA MAISON DE L'ÉVOLUTION DÉVELOPPE-T-ELLE DES CYBORGS DEPUIS PLUS DE QUATRE ANS ?

J'AI UNE DERNIÈRE QUESTION

JE NE SAIS PAS. TOUT CE QUE JE PEUX TE DIRE C'EST QUE JE SUIS L'UNIQUE CYBORG DE COMBAT DE LA MAISON DE L'ÉVOLUTION

?

C'EST IMPOS-SIBLE !

FWOOOOO

MANTE LE JOLI, GLIMACE, CRAP-HOMME, DRAGOTAUPE, CYBORGORILLA... ET MÊME LE ROI DES FAUVES...

TOUTE MA TROUPE D'ÉLITE MISE SUR PIED POUR ANÉANTIR L'HUMANITÉ S'EST FAIT ÉLIMINER !

S'ILS PARVIENNENT JUSQU'ICI, TOUT LE FRUIT DE MES RECHERCHES SERA DÉTRUIT

D'APRÈS LE MESSAGE ENVOYÉ PAR CYBORGORILLA, CES DEUX TYPES SERAIENT EN ROUTE DANS UN BUT DE RÉTORSION

L'HEURE EST GRAVE

JE VAIS DEVOIR UTILISER...

MA BOTTE SECRÈTE

...

PRÉPAREZ-VOUS À LÂCHER SCARAVAGEUR...

JE NE PENSAIS PAS QU'ON DEVRAIT Y ALLER AU PAS DE COURSE

COMMENT VOULAIS-TU FAIRE AUTREMENT ?

QUATRE HEURES PLUS TARD...

IMPRESSIONNANT ! VOUS ARRIVEZ TOUJOURS À TEMPS, ALORS QUE VOUS VOUS DÉPLACEZ À PIED

LES HUMAINS NE PEUVENT PAS VOLER

JE PENSAIS QUE VOUS POUVIEZ VOLER, MAÎTRE

C'EST L'ENDROIT INDIQUÉ PAR LE GORILLE

NOUS Y SOMMES

STAP

VOUS N'ÊTES DÉCIDÉMENT PAS UN SUPER-HÉROS POUR RIEN

EUH... NON, J'ARRIVE SOUVENT À LA BOURRE, EN FAIT

ATTENTION AUX OURS

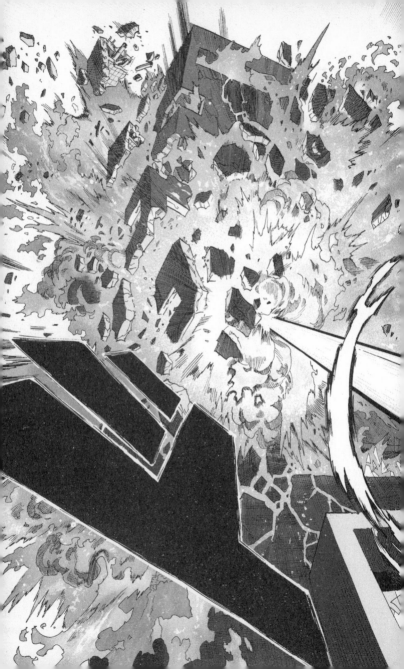

TE FOUS PAS DE MOI, IMBÉCILE !

J'EN AI JAMAIS ASSEZ !

MOI, LA CRÉATURE LA PLUS PUISSANTE DE LA MAISON DE L'ÉVOLUTION !

TU ME RETIENS PRISONNIER SOUS TERRE...

NOUS NE POUVONS PAS TE CONTRÔLER. JE N'AVAIS PAS D'AUTRE CHOIX

TU ES INSTABLE PSYCHOLOGIQUEMENT...

MOUAH HA HA HA !

ESPÈCE DE CRÉTIN !

ME CONTRÔLER ?

C'EST POURQUOI VOUS DEVEZ M'OBÉIR !

MA FORCE ET MON INTELLIGENCE N'ONT RIEN À VOIR AVEC VOUS, LES HUMAINS DE L'ANCIENNE GÉNÉRATION !

JE SUIS LA PARFAITE INCARNATION DU NOUVEAU GENRE HUMAIN QUE TU AS TOUJOURS RECHERCHÉ.

MAIS TU ES TROP LAID...

NON ! TU ES UN ÉCHEC ! TU POSSÈDES CERTES DES FACULTÉS IMPRESSION-NANTES...

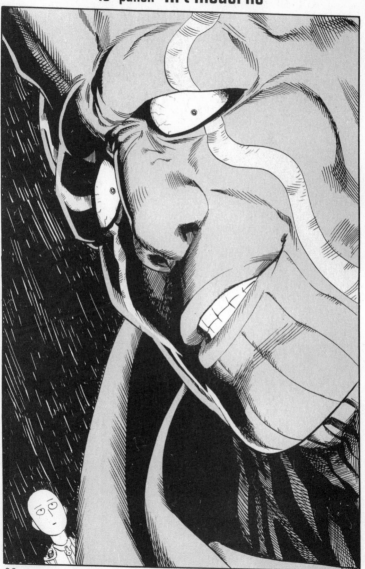

ILS SONT VACHEMENT GRANDS, CES SOUTERRAINS

ELLES ÉMETTENT LE MÊME SIGNAL ! PEUT-ÊTRE SONT-CE DES CLONES ?

Bip Bip

JE DÉTECTE PLUSIEURS FORMES DE VIE DROIT DEVANT...

JE SENS L'EXCITATION MONTER

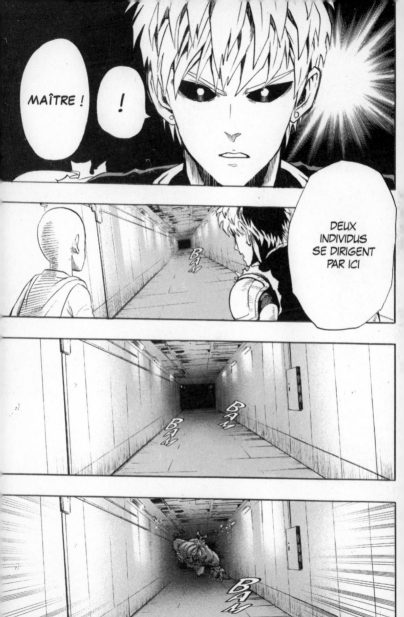

ALLONS NOUS BATTRE LÀ-BAS !

JE SUIS SCARA-VAGEUR

IL Y A UNE SALLE DE COMBAT UN PEU PLUS LOIN

JE TE SUIS !

TU VAS PAYER POUR AVOIR FAIT DE L'ART MODERNE AVEC GENOS !

PA PA PAK

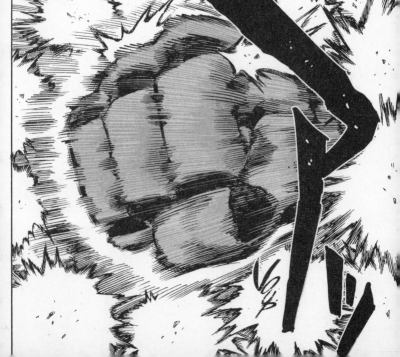

ÇA N'A PAS MARCHÉ

OUAH, IL T'A LITTÉRALEMENT DÉCHIRÉ LA GUEULE !

KOF..

SBOOM

SHH, DU CALME, C'EST BON. PAS LA PEINE DE FORCER !

JE...

JE DOIS LE...

BRRR! BRRR!

BOOW

GENOS !!
EST-CE
QUE ÇA
VA ?

IL A RE-
POUSSÉ
MON
ATTAQUE
AVEC
SON
SOUFFLE
!!

COMMENT
EST-CE
POSSIBLE
?

« ÇA VA », MON ŒIL, OUAIS ! T'AS VU LA TRONCHE QUE T'AS ?

OUI... ÇA VA...

ENFOIRÉ...

HU HU HU !

TON PETIT NUMÉRO M'A MIS EN APPÉTIT !!

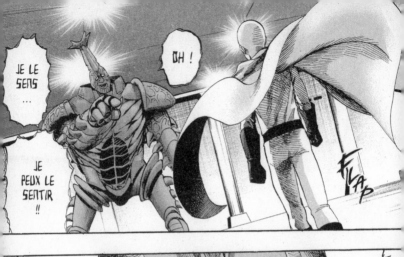

JE LE SENS...

OH !

JE PEUX LE SENTIR !!

FLAP

UNE GRANDE FORCE

TU POSSÈDES...

TU ES DIFFÉRENT DES ZIGOTOS DE CE MATIN...

CAR TU AS L'AIR TRÈS SÛR DE TOI

BON ! T'AS PAS INTÉRÊT À ME DÉCEVOIR, OK ?

TU ES SUPPOSÉ ÊTRE LE PLUS BALÈZE DE TOUS, PAS VRAI ?

OH ! IL EST RAPIDE !

STAMP

IL...

IL A
RECULÉ...

?!

BEH ALORS, QU'EST-CE QUE TU FICHES ?

HÉ ! J'TE CAUSE !

...

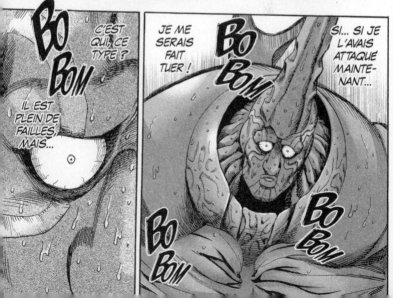

C'EST QUI, CE TYPE ?

IL EST PLEIN DE FAILLES, MAIS...

JE ME SERAIS FAIT TUER !

SI... SI JE L'AVAIS ATTAQUÉ MAINTE-NANT...

BO BOM

BO BOM

BO BOM

BO BOM

COMMENT DIABLE AS-TU PU OBTENIR UNE TELLE PUISSANCE ?

CO...

!!

?!

TRÈS BIEN, JE VAIS TE LE DIRE

TU VEUX LE SAVOIR ?

TOI AUSSI, GENOS, OUVRE BIEN TES OREILLES

QUOI ?
IL VA TOUT
NOUS DIRE ?
LÀ,
MAINTENANT
?

VA NOUS RÉVÉLER LE SECRET DE SA PUISSANCE...

ET DIX KILOMÈTRES DE FOOTING TOUS LES JOURS !!

CENT POMPES, CENT ABDOS, CENT SQUATS...

UNE AUTRE RÈGLE POUR FORGER LE MENTAL EST DE NE JAMAIS UTILISER LA CLIM, NI EN ÉTÉ NI EN HIVER

ET BIEN SÛR, TROIS REPAS QUOTIDIENS. POUR LE PETIT-DÉJ, ON PEUT SE CONTENTER D'UNE BANANE

MAIS POUR DEVENIR UN PUISSANT SUPER-HÉROS, J'AI POURSUIVI MON ENTRAÎNEMENT CHAQUE JOUR SANS RELÂCHE, MÊME LORSQUE TOUT MON CORPS ME FAISAIT SOUFFRIR ET LORSQUE JE CRACHAIS DU SANG

AU DÉBUT, C'EST VRAIMENT CREVANT ET ON EST TENTÉ DE PRENDRE UNE JOURNÉE DE REPOS...

UN AN ET DEMI PLUS TARD, J'AI RÉALISÉ LES CHANGEMENTS QUI S'ÉTAIENT OPÉRÉS EN MOI

JE FAISAIS DES SQUATS MÊME QUAND MES JAMBES ÉTAIENT SI LOURDES QUE JE N'ARRIVAIS PLUS À LES BOUGER. JE CONTINUAIS À FAIRE DES POMPES MÊME QUAND MES BRAS CRAQUAIENT EN ÉMETTANT DES BRUITS BIZARRES

C'EST LÀ L'UNIQUE MÉTHODE POUR DEVENIR PLUS FORT

AUTREMENT DIT, JE ME SUIS ENTRAÎNÉ COMME UN DINGUE AU POINT D'EN PERDRE MES CHEVEUX

LA VÉRITABLE FORCE DES HUMAINS RÉSIDE DANS LE FAIT DE POUVOIR CHANGER S'ILS EN ONT LA VOLONTÉ !

TOUTES VOS CONNERIES SUR LA NOUVELLE RACE HUMAINE, L'ÉVOLUTION ET TOUT LE BORDEL NE VOUS PERMETTRONT JAMAIS D'ATTEINDRE UN TEL RÉSULTAT

QUOI ?!

QUE... ?

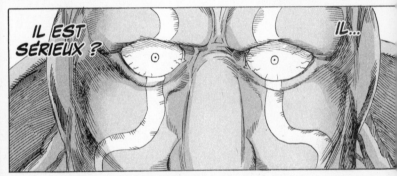

IL EST SÉRIEUX ?

IL...

MAÎTRE...

MAÎ...

IL EST ÉVIDENT QUE LA PUISSANCE QUE VOUS DÉTENEZ, MAÎTRE SAITAMA, NE S'OBTIENT PAS JUSTE EN FAISANT DE LA MUSCULATION !

JE VEUX CONNAÎTRE VOTRE SECRET !

GENOS...

J'TE JURE QUE C'EST POURTANT LA VÉRITÉ. J'AI RIEN FAIT D'AUTRE

!

QUE TU ME CROIES OU NON...

SKRIK

VRAIMENT ?

NON, PAS ÇA...

NE TE LAISSE PAS ENVAHIR PAR LA RAGE !!

SCARA-VAGEUR !!

DE TOUTE FAÇON, TU N'ES PAS PLUS FORT QUE MOI !!

KRIK

SKRAK

TANT PIS SI TU NE VEUX PAS NOUS DONNER TON SECRET !!

MODE...

K
RAK

SCRI

ISH

MAIS MAINTENANT QUE TU M'AS MIS EN ROGNE, JE VAIS T'ÉTRIPER !!

SPRAK

C'EST PAS VRAI...

NON...

MAÎTRE...?!

WOOSH

SBROOM

ÇA VOUDRAIT DIRE QU'AUJOUR-D'HUI ON EST SAMEDI ?!

SI ON EST SAMEDI...

ET DONC...

SKRRSHHH

AUCUN ÊTRE DE CE MONDE NE PEUT PLUS L'ARRÊTER

C'EST TERMINÉ

ET DE SONGER À UNE RECONVERSION

MAÎTRE !

AAAAH ! LA RAGE ! J'ME SUIS PLANTÉ DE JOUR !

JE CROIS QUE JE FERAIS MIEUX D'ARRÊTER MES RECHERCHES

POURQUOI DEVONS-NOUS TRAVAILLER ?

12ᵉ punch Le gang des chauves-sourires

GRR...

BANDE D'IMBÉCILES !

COMMENT ?!

CHEF ! PERSONNE NE VOUS ÉCOUTE !

SA LUXUEUSE RÉSIDENCE EST UN EXEMPLE DES INÉGALITÉS DE CE MONDE !

YES, SIR !

ON VA RASER LA MAISON DE GRISBI, L'HOMME LE PLUS RICHE DE LA VILLE, POUR LEUR MONTRER QU'ON NE RIGOLE PAS !

EN AVANT, LES GARS !

ZWAM

CETTE TOUR TOUT ENTIÈRE APPARTIENT À GRISBI, CHEF

IL EST ÉVIDENT QUE CE TYPE A AMASSÉ SA FORTUNE DE FAÇON MALHONNÊTE

...

C'EST IMPARDONNABLE !

PWOUM

BIEN !

DÉTRUISEZMOI ÇA !

YES, SIR !

BRROOOO

SBBROM

BROOO

CES NOUVELLES
TENUES DE
COMBAT SONT
DRÔLEMENT
EFFICACES !
ÇA A VALU LA
PEINE DE RISQUER
NOTRE VIE POUR
LES VOLER !

FWSHH

HM...

BROOO

CIBLE
DÉTRUITE !

AH !
ON S'EST
TROMPÉS DE
BÂTIMENT

PLAN

LA RÉSIDENCE DE GRISBI SE TROUVE PLUS LOIN

DÉSOLÉ, CHEF !

PLAN

N'EST-CE PAS ?

OUAAAAAH !

LE PRINCIPAL EST D'APPRENDRE DE SES ERREURS...

KYAAA !

ÇA PEUT ARRIVER À TOUT LE MONDE DE SE TROMPER !

TOUT À FAIT, CHEF !

KRISSS

!

PAS SI VITE, BANDE DE CRAPULES !

OUAAIS !

EN AVANT, LES GARS ! TOUS À LA RÉSIDENCE DE GRISBI !

SHAC SHAC

SHKLAC

LE HÉROS SANS PERMIS QUI CHEVAUCHE SA BICYCLETTE... VIENT RENDRE LA JUSTICE !

ROULETTE RIDER

AVEC LUI, NOUS, N'AVONS PLUS RIEN À CRAINDRE !

HOURRA ! ROULETTE RIDER EST VENU NOUS SAUVER !

LA BONNE BLAGUE !

UN HÉROS ?

SPOMK

GARE À VOUS ! ME VOILÀ !

APPELEZ UN MÉDECIN !

KYAAAH !

UN RÊVE...

NE POINTE PAS VERS MOI TON DOIGT PLEIN DE MORVE !

LES HÉROS QUI ONT TENTÉ D'INTERVENIR SE SONT RETROUVÉS EN PITEUX ÉTAT. LA SITUATION SEMBLE HORS DE CONTRÔLE

LES TERRORISTES QUI SÈMENT LA TERREUR DANS LA VILLE F ONT REVENDIQUÉ LEUR APPARTENANCE AU GANG DES CHAUVES-SOURIRES

IL SE NOMME TÊTE D'ENCLUME ET SA TÊTE A ÉTÉ MISE À PRIX AVEC UNE PRIME DE CLASSE B

TÊTE D'ENCLUME
PRIME DE CLASSE B

BRUH
BRUH

NOUS VENONS À L'INSTANT D'IDENTIFIER LEUR CHEF

C'EST UN HOMME DE CARRURE IMPOSANTE MESURANT 2,15 M ET PESANT 210 KG

IL EST L'AUTEUR DE NOMBREUSES INFRACTIONS

ON NOUS APPREND QUE LORS D'UNE BAGARRE CONTRE VINGT ADVERSAIRES, IL LES AURAIT TOUS ENVOYÉS À L'HÔPITAL

D'APRÈS UN MESSAGE ENVOYÉ PAR LES CHAUVES-SOURIRES AUX CHAÎNES DE TÉLÉVISION...

ENCORE UNE AFFAIRE RELOU...

LEURS REVENDI-CATIONS SEMBLENT TOTALEMENT ABSURDES

JE PENSE PAS QUE CE SOIT LA PEINE QUE J'INTERVIENNE

LES TERRORISTES RÉCLAMERAIENT DE LA NOURRITURE, DES VÊTEMENTS ET UN LOGEMENT POUR TOUTES LES PERSONNES QUI NE VEULENT PAS TRAVAILLER

ET SEMBLENT ÊTRE TRÈS DANGEREUX

ILS SONT TOUS CHAUVES...

LES PARTISANS DE TÊTE D'ENCLUME SONT DES JEUNES SANS EMPLOI QUI N'ONT AUCUNE INTENTION DE TRAVAILLER

VEUILLEZ TOUT DE SUITE VOUS EN ÉLOIGNER

SI JAMAIS VOUS APERCEVEZ UN CHAUVE DANS LA RUE...

C'EST QUOI, CES HISTOIRES ?!

HEIN... ?!

LES CHAUVES RAPPLIQUENT !!

FUYEZ !

CES TYPES SONT COMPLÈTEMENT TARÉS !

ILS SONT EXTRÊMEMENT DANGEREUX !!

HM...

SI JE FUIS DEVANT CES TERRORISTES, MON IMAGE VA EN PRENDRE UN COUP

MONSIEUR GRISBI ! VEUILLEZ VOUS METTRE À L'ABRI !

INUTILE DE VOUS ENFUIR

ON PEUT
DIRE QUE
VOUS
AVEZ
DE LA
CHANCE...

PUIS-JE TE SOLLICITER POUR ...

T'OCCUPER DE CETTE AFFAIRE ?

NATUREL-LEMENT

MAIS IL RISQUE D'Y AVOIR DES MORTS

...

?!

IL SE PEUT QUE JE NE PUISSE PAS CONTRÔLER MA FORCE

À CAUSE DE LEURS ÉTRANGES ARMURES...

STAP

PRÉPAREZ-VOUS DONC À DEVOIR VOUS DÉBARRASSER D'UNE MONTAGNE DE CADAVRES

CE TÊTE D'ENCLUME A UNE PRIME DE CLASSE B SUR LA TÊTE...

LE GANG DES CHAUVES-SOURIRES... CES TYPES SONT ÉQUIPÉS D'UN NOUVEAU MODÈLE DE TENUE DE COMBAT DONT JE N'AVAIS ENCORE JAMAIS ENTENDU PARLER

CE DOIT ÊTRE UN CORIACE

CHEF...

LA VOILA !

BROM

STAP

STAP

STAP

LA RÉSIDENCE DE GRISBI SE TROUVE APRÈS CETTE FORÊT

LES GENS ONT SUR-NOMMÉ CETTE TOUR « LA CROTTE DORÉE »

EN AVANT !!

PARFAIT !

...

FWUP

GLUP

JE T'ATTENDAIS, TÊTE D'ENCLUME !

IL Y A QUELQU'UN

ZUP...

JE N'AI JAMAIS LAISSÉ REPARTIR VIVANT UN SEUL DE MES ADVERSAIRES

ET JE N'AI PAS DE RAISON DE CHANGER AVEC VOUS

JE PRÉFÈRE VOUS PRÉVENIR DÈS LE DÉBUT...

SI VOUS VOUS RENDEZ TOUT DE SUITE, JE N'AURAI PAS À VOUS TUER

JE SUIS UN PERFECTION-NISTE DANS MON TRAVAIL

QUE
DÉCIDEZ-
VOUS ?

GRR...
PUISQUE JE
VOUS DIS
QUE JE NE
SUIS PAS UN
TERRORISTE
!

OUA-A-A-H!
CHACUN QUI PEUT !

AU
SECOURS !
UN
TERRORISTE
!!

POURQUOI ILS TOMBENT TOUS LES UNS APRÈS LES AAAAAHHHHHHH

SHRAAAK

FWAP

ET MERDE !

GRR...

ESPÈCE DE FUMIER!

124

OH,
CROTTE !

! ZB A

AM

30 000
POINTS

IL PRÉFÈRE M'ATTAQUER PLUTÔT QUE DE FUIR

IL EST PEUT-ÊTRE MOINS BÊTE QU'IL EN A L'AIR

BOM

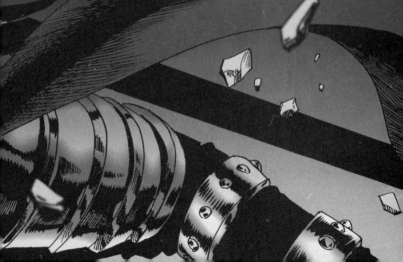

ZUT ! ENCORE CETTE FICHUE MANIE.

KRIK KRAK KRAK

SHRAAK

TU N'ES QU'UN CHIEN EMBAUCHÉ PAR GRISBI

HA HA HA HA !

ZWOOOOM

SE LAISSERAIT AVOIR PAR UN CABOT ?

PENSAIS-TU QU'UN GARS COMME MOI QUI SE BAT POUR UNE NOBLE CAUSE...

IL EST EN TRAIN DE ME PROVOQUER

J'AI COMPRIS

JE VOIS...

IL AURAIT AU MOINS PU DISPOSER LES ROCHERS DE MANIÈRE PLUS NATURELLE

CE TYPE EST DÉCIDÉMENT UN BEL IDIOT

IL A CONSTRUIT UN CHEMIN POUR M'ATTIRER À LUI

BR OM

HA HA HA HA HA !

TANT QUE TU NE M'ARRÊTERAS PAS, JE CONTINUERAI À TE CANARDER !

J'AI ENCORE UN PAQUET DE ROCHERS !

SI TU SAIS DEPUIS QUELLE DIRECTION JE VAIS ATTAQUER ?

PARCE QUE TU CROIS POUVOIR CONTRER MA VITESSE...

IL ARRIVE !
IL EST DÉCIDÉMENT TRÈS RAPIDE !

IMPOSSIBLE DE LE VOIR !

QUAND JE T'AURAI EXPÉDIÉ DANS L'AUTRE MONDE, IMBÉCILE, TU REGRETTERAS DE T'ÊTRE FROTTÉ À MOI !

SDOOM

SH

TOK

HA HA HA... URGH !

SHAC

OUI, LE CADAVRE DE TÊTE D'ENCLUME EST DEVANT MOI

MALHEU-REUSEMENT, JE N'AI PAS PU Y ALLER MOLLO AVEC EUX

J'AI TERMINÉ

JE RENTRE...

ENTENDU

TAP
TAP
TAP

TAP TAP TAP

SON CADAVRE A DISPARU...

TAP TAP TAP

MON CRÂNE EST BEAUCOUP PLUS ÉPAIS QUE LA NORMALE !

C'ÉTAIT MOINS UNE !

HEUREUSE-MENT QU'IL A VISÉ MA TÊTE !

14e punch
Jamais entendu parler de toi

?!

GLUPS

...

IL VAUT MIEUX QUE JE ME DÉPÊCHE DE FOUTRE LE CAMP D'ICI...

PFF...

IL N'A PAS BRONCHÉ D'UN POIL. COMMENT EST-CE POSSIBLE ?

...

HEIN ? JE LUI AI POURTANT MIS UN PAIN EN PLEINE TRONCHE

BO BOM

J'ÉTAIS PLUTÔT EXCITÉ QUAND J'AI ENTENDU PARLER DE VOS TENUES DE COMBAT

QUELLE DÉCEPTION !

MAIS, APPAREMMENT, CES TENUES AU DESIGN RIDICULE VOUS RENDENT JUSTE À PEINE PLUS FORT

ON EN A SACRÉMENT BAVÉ POUR METTRE LA MAIN SUR CES ARMURES

UN IDIOT COMME TOI NE PEUT PAS COMPRENDRE LEUR VALEUR

BLOC

CE TYPE ME RESSEMBLE...

HEIN ?

C'EST... C'EST IMPOS- SIBLE...

...

SPRAAK

A...

ARRÊTE DE JOUER AU CAÏD, COMPRIS ?

ATTENDS ! JE VOULAIS JUSTE NE PAS AVOIR À TRAVAILLER ET...

TAP TAP

OU... OUI...

ALLEZ, ZOU ! VA-T'EN

HEIN ?

TU NE ME TUES PAS ?

HAA...

DIRE QUE J'AURAIS PU MOI AUSSI DEVENIR COMME LUI

UN GARS DÉÇU DE LA SOCIÉTÉ

OÙ EST PASSÉ TÊTE D'ENCLUME ?

SWUSH

?

JE PENSAIS AVOIR FAIT LE MÉNAGE, MAIS ON DIRAIT QU'IL EN RESTE ENCORE UN

FWOOOOO

SI TU CHERCHES LEUR CHEF, IL EST PARTI PAR LÀ...

EUH...

LE CUL À L'AIR !

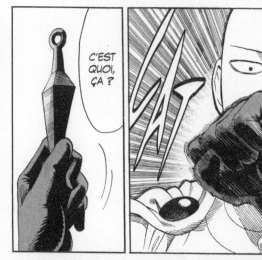

C'EST QUOI, ÇA ?

?!

!

JE VOIS JUSTE UN CHAUVE. TU ES L'UN D'ENTRE EUX

NON, NON, NON ! REGARDE-MOI BIEN !

TU MENS TRÈS MAL

COMMENT ÇA, JE FAIS ERREUR ?

JE NE FAIS PAS PARTIE DU GANG DES CHAUVES-SOURIRES

PUISQUE JE TE DIS QUE NON !

FWAP

REGARDE ! C'EST MOI !

DÉSOLÉ. JAMAIS ENTENDU PARLER DE TOI

TU SAIS BIEN, LE MEC QUI JOUE AU SUPER-HÉROS ET QUI A DÉJÀ PLUSIEURS FOIS ÉLIMINÉ DES VILAINS !

JE SUIS NÉ DANS UN VILLAGE NINJA ET, DEPUIS MON ENFANCE, JE ME SUIS TOUJOURS EMPLOYÉ À PERFECTIONNER MES TECHNIQUES...

FWOOOOOU

MAIS TU AS RÉUSSI À ÉVITER MES ATTAQUES

QU'EST-CE QU'IL RACONTE ?

ZWAM

JAMAIS JE NE POURRAI TE LE PARDONNER

ZWASH

MA FIERTÉ EN A PRIS UN COUP

QUI QUE TU SOIS, JE NE PEUX PAS TE LAISSER PARTIR COMME ÇA

ZWASH

TU VEUX JUSTE TESTER TES TECHNIQUES SUR MOI, N'EST-CE PAS ?

TU MENS

!

IL SUFFIT DE VOIR TON SOURIRE INNOCENT POUR LE COMPRENDRE

PITIÉ...

PAR...

PARDON...

CE TYPE NE MANQUE PAS DE CULOT POUR NOUS IMPLORER DE LUI LAISSER LA VIE SAUVE APRÈS AVOIR VOLÉ LES ARMURES DE NOTRE ORGANISATION

QUEL IMBÉCILE !

ON LES A VOLONTAIREMENT LAISSÉS UTILISER CES TENUES AFIN D'OBTENIR DES DONNÉES EN COMBAT RÉEL

MAMAN... JE TE PROMETS DE CHERCHER DU BOULOT

J'AI VRAIMENT DE LA CHANCE D'AVOIR UN CRÂNE TERRIBLE-MENT DUR

QUE FAIT-ON DU CORPS ?

ON LE LAISSE LÀ

15e punch
Loisirs et boulot

Veuillez patienter un instant

MON NOM EST SONIC LE FOUDROYANT

ASSASSINAT, PROTECTION RAPPROCHÉE... J'ACCOMPLIS TOUJOURS LES MISSIONS QU'ON ME PROPOSE. JE SUIS LE PLUS PUISSANT DES NINJAS

ET TOI, QUEL EST TON NOM ?

EUH... JE M'APPELLE SAITAMA

MAINTENANT QUE J'AI TROUVÉ UN REMARQUABLE ADVERSAIRE EN TA PERSONNE, JE VAIS M'ENTRAÎNER JOUR ET NUIT JUSQU'À NOTRE PROCHAINE RENCONTRE

MAIS JE VAIS LAISSER LE BOULOT DE CÔTÉ PENDANT QUELQUE TEMPS

BRR
SAITAMA ! NOTRE PROCHAINE RENCONTRE SERA SYNONYME DE TON ARRÊT DE MORT !
MOI, SONIC LE FOUDROYANT, JE JURE DE T'ACHEVER AVEC MES MEILLEURES TECHNIQUES NINJAS !
ÇA MARCHE ! BONNE CHANCE POUR TON ENTRAÎNEMENT !
FWOP

SONIC LE FOUDROYANT ?

C'EST QUI, CELUI-LÀ ? IL A UN NOM À FILER UNE MIGRAINE À UN MAL DE TÊTE !

TOI AUSSI, TU ME POMPES L'AIR

SI CE TYPE VOUS ENNUIE, MAÎTRE, JE PEUX ME CHARGER DE L'ÉLIMINER

J'EN SAIS RIEN. IL EST SORTI DE NULLE PART, M'A LANCÉ UN DÉFI COMME S'IL ÉTAIT MON RIVAL ET IL A DISPARU

RAAAH, T'ES ENCORE LÀ-DESSUS ?!

MAIS MAÎTRE ! JE DOIS DEVENIR PLUS FORT ET...

RENTRE CHEZ TOI. JE NE SUIS PAS TON POTE

ET PUIS D'ABORD, QUE FAIS-TU ENCORE ICI ?

VA-T'EN, JE T'EN PRIE !

FICHE-MOI LA PAIX !

JE SUIS EN ÉTAT DE CHOC, LÀ. J'AI PRIS CONSCIENCE D'UN SÉRIEUX PROBLÈME !

JE NE SUIS PAS CONNU

QUEL GENRE DE PROBLÈME PEUT BIEN AVOIR UNE PERSONNE COMME VOUS ? S'IL VOUS PLAÎT, DITES-M'EN PLUS

UN SÉRIEUX PROBLÈME ?

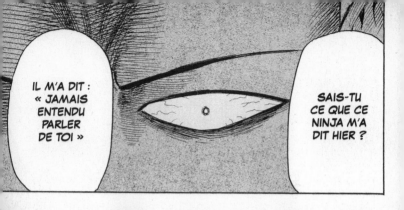

IL M'A DIT : « JAMAIS ENTENDU PARLER DE TOI »

SAIS-TU CE QUE CE NINJA M'A DIT HIER ?

LA DERNIÈRE FOIS QU'UN MONSTRE EST APPARU, C'EST MOI QUI L'AI ÉLIMINÉ, MAIS PERSONNE NE S'EN SOUVIENT... !

...

ET LES GENS DE LA VILLE PENSAIENT QUE J'ÉTAIS, MOI AUSSI, UN DE CES TERRORISTES

?

VOUS DITES QUE VOUS JOUEZ AU SUPER-HÉROS POUR PASSER LE TEMPS...

ILS ONT DIT QUE C'ÉTAIT UN CERTAIN HÉROS NOMMÉ ROULETTE RIDER QUI AVAIT REPOUSSÉ LE GANG DES CHAUVES-SOURIRES...

EN EFFET... AUX INFOS DE CE MATIN, ILS N'ONT PARLÉ NI DE MAÎTRE SAITAMA NI DE CE SONIC LE FOUDROYANT...

MAÎTRE !

UN INSTANT ! SE POURRAIT-IL QUE... ?

VOUS N'ÊTES DONC PAS INSCRIT À L'ALMANACH DES SUPER-HÉROS ?!

L'ALMANACH DES SUPER-HÉROS

TOUT INDIVIDU AYANT PASSÉ UN TEST DE FORCE PHYSIQUE ET UN TEST PERMETTANT D'ÉVALUER SON SENS DE LA JUSTICE DANS UN DES ÉTABLISSEMENTS DE L'ASSOCIATION DES SUPER-HÉROS ET AYANT OBTENU DES RÉSULTATS SUPÉRIEURS À LA MOYENNE RECEVRA OFFICIELLEMENT L'APPELLATION « SUPER-HÉROS » ET SERA INSCRIT À L'ALMANACH DES SUPER-HÉROS. D'AUTRE PART, TOUT SUPER-HÉROS PROFESSIONNEL RECONNU PAR L'ASSOCIATION SE VERRA ATTRIBUER, PROPOR-TIONNELLEMENT AU TRAVAIL FOURNI, UN REVENU PROVENANT DES DONS REÇUS PAR L'ASSOCIATION. TOUT INDIVIDU ENREGISTRÉ À L'ALMANACH DES SUPER-HÉROS SERA ÉGALEMENT INSCRIT À DIVERS CLASSEMENTS, DONT LE CLASSEMENT DE POPULARITÉ DES SUPER-HÉROS. CES CLASSEMENTS SUSCITENT TOUJOURS UN GRAND INTÉRÊT AUPRÈS DU PUBLIC ET IL N'EST PAS RARE QUE CERTAINS SUPER-HÉROS AIENT LEUR PROPRE FAN-CLUB.

N.B. : LE TERME « SUPER-HÉROS » DÉSIGNE UN HÉROS PROFESSIONNEL INSCRIT À L'ALMANACH DES SUPER-HÉROS. TOUT INDIVIDU AGISSANT SEUL ET SE PROCLAMANT LUI-MÊME SUPER-HÉROS SANS ÊTRE ENREGISTRÉ DANS L'ALMANACH SERA CONSIDÉRÉ COMME UN IMPOSTEUR ET NE SERA PAS RECONNU OFFICIELLEMENT COMME ÉTANT UN SUPER-HÉROS.

...

...

LE PREMIER HÉROS PROFESSIONNEL A ÉTÉ RECONNU IL Y A TROIS ANS

JE N'ÉTAIS MÊME PAS AU COURANT !

ES-TU INSCRIT À CE REGISTRE, GENOS ?

NON, ÇA NE M'INTÉRESSE PAS

SUITE À CETTE HISTOIRE, GALOCHE A EU L'IDÉE DE METTRE EN PLACE CE SYSTÈME...

ET IL A FONDÉ AVEC SES PROPRES DENIERS L'ASSOCIATION DES SUPER-HÉROS

G A L O C H E

LE PETIT-FILS DU MILLIONNAIRE GALOCHE S'EST FAIT ATTAQUER PAR UN MONSTRE ET A ÉTÉ SAUVÉ PAR UN JEUNE HOMME QUI PASSAIT DANS LE COIN

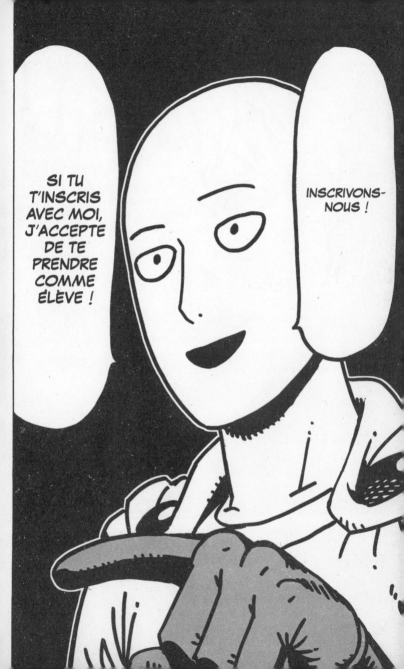

Histoire bonus
Entraînement

MERCI POUR VOTRE AIDE, JEUNE HOMME. VOUS M'AVEZ SAUVÉE

MAINTENANT, MÊME LES MAGASINS DE FRIANDISES SE FONT ATTAQUER PAR DES MONSTRES. NOUS VIVONS VRAIMENT DANS UNE DRÔLE D'ÉPOQUE !

BON, SI VOUS INSISTEZ...

C'EST DE BON CŒUR

SI, SI ! J'Y TIENS

C'EST GENTIL, MAIS CE N'EST PAS LA PEINE

POUR ÊTRE FRANC, ÇA M'ARRANGE. J'SUIS UN PEU DANS LA DÈCHE EN CE MOMENT...

C'EST UNE CHANCE QUE JE PASSAIS PAR LÀ PAR HASARD, MADAME

ATTENDEZ UN INSTANT. J'AIMERAIS VOUS OFFRIR QUELQUE CHOSE POUR VOUS REMERCIER

UOOOOH ! J'AI PAS BESOIN DE TOUT ÇA...

MERCI, M'DAME...

VOILÀ, TENEZ ! AVEC CET ASSORTIMENT DE FRIANDISES, VOUS AVEZ DES PROVISIONS POUR AU MOINS UN AN

FROUP

JE NE FAIS PAS ÇA POUR QU'ON ME REMERCIE EN M'OFFRANT DES CADEAUX, MAIS BON, C'EST TOUJOURS ÇA DE PRIS...

DEPUIS QUE J'AI COMMENCÉ À JOUER AU SUPER-HÉROS, J'AI ÉLIMINÉ PLUS D'UNE DIZAINE DE MONSTRES

C'EST LORSQU'ON EST REMERCIÉ QU'ON RÉALISE QU'ON EST VENU EN AIDE AUX GENS

AU MOINS, JE N'AURAI PAS PERDU MA JOURNÉE

CETTE VIEILLE DAME M'A BIEN GÂTÉ...

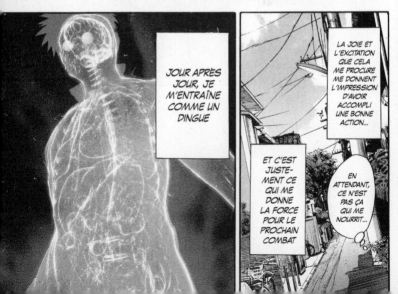

JOUR APRÈS JOUR, JE M'ENTRAÎNE COMME UN DINGUE

LA JOIE ET L'EXCITATION QUE CELA ME PROCURE ME DONNENT L'IMPRESSION D'AVOIR ACCOMPLI UNE BONNE ACTION...

ET C'EST JUSTEMENT CE QUI ME DONNE LA FORCE POUR LE PROCHAIN COMBAT

EN ATTENDANT, CE N'EST PAS ÇA QUI ME NOURRIT...

100 !

TROIS CENTIÈME JOUR
D'ENTRAÎNEMENT

KZIM

KKH...

HFF..
HFF..
HFF..

KZIM

S
B
O
M

HUNG...

KZIM

HAA...

HAA...

KZIM

KZIM

DASH

HUF...
HUF...

...

PLOU

PAR
EXEMPLE
...

JE M'ENTRAÎNE
MAINTENANT
DEPUIS TROIS
CENTS JOURS

MON CORPS
S'HABITUE
PROGRESSIVE-
MENT À MES
EXERCICES
QUOTIDIENS
ET JE SENS
UNE NETTE
AMÉLIORATION
AU NIVEAU DE
MES FACULTÉS
PHYSIQUES

KRIIIIIIIIIII!!

GATCH

REGARDE BIEN DES DEUX CÔTÉS AVANT DE TRAVERSER, PETIT...

MERCI

DE RÉAGIR COMME UN VRAI SUPER-HÉROS

JE SUIS À PRÉSENT CAPABLE...

KZIM

MAIS...

ENCORE CETTE DOULEUR... MON CORPS DEVIENT DE PLUS EN PLUS SENSIBLE...

PEUT-ÊTRE AI-JE TROP FORCE ?

HNNG... !!

HNNG...

SBROM

UOOOOH ! JE SUIS LE PLUS FORT !

REGARDEZ ! VOYEZ LA VITESSE DE MES COUPS DE POING !!

UN MONSTRE ! FUYEZ !!

KYAAAH ! AU SECOURS !

BO BO BOM

BO BO BOM

JE VAIS DEVOIR INTERVE-NIR...

TSS... CE N'EST VRAIMENT PAS LE MOMENT...

KZ ZI Zim

J'AI BESOIN ...

DE BOUSILLER LA GUEULE D'UN HUMAIN ! UOOOOOH !

RAAAAH ! FRACASSER DES VOITURES ET DES BÂTIMENTS NE ME SUFFIT PLUS !!

À FORCE DE FAIRE DU SHADOW BOXING AVEC LA FICELLE DE LA LAMPE SUSPENDUE AU PLAFOND DE MA PIAULE, JE SUIS DEVENU UN MONSTRE ! JE REPRÉSENTE UN FLÉAU DE NIVEAU « DIEU » !!

FLÉAU DE NIVEAU « TIGRE » FILDELAMP

MON CORPS...

SKRAAASH

BRAAAM

KRAK

JE DOIS...

CE N'EST PAS LE MOMENT DE CÉDER À LA DOULEUR...

KZIIM

KZIIM

REPOUSSER MES LIMITES !

RAFALE
DE
COUPS
!

AH !
MA CARIE
EST
TOMBÉE

GARE AUX CARIES SI VOUS NE VOUS BROSSEZ PAS LES DENTS !

Tome 2 Le secret de la puissance - fin -

ONE-PUNCH MAN

Titre original :
ONE-PUNCH MAN © 2012 by ONE, Yusuke Murata
All rights reserved.
First published in Japan in 2012 by SHUEISHA Inc., Tokyo.
French translation rights in France, and French-speaking Belgium,
Luxembourg, Switzerland, Canada and Monaco arranged by
SHUEISHA Inc. through VIZ Media Europe, SARL, France.

Collection dirigée par : **Grégoire Hellot**
Traduction : **Frédéric Malet**
Lettrage : **pucchin**

ISBN : 978-2-368-52264-6

Kurokawa - 12, avenue d'Italie
75627 PARIS Cedex 13

Dépôt légal : mars 2016
Imprimé en France par Aubin imprimeur

MIXTE
Papier issu de
sources responsables
FSC® C003309

Kurokawa, une marque d'Univers Poche, est un éditeur qui
s'engage pour la préservation de son environnement et
qui utilise du papier fabriqué à partir de bois provenant
de forêts gérées de manière responsable.